별빛마을

발 행 | 2024년 1월 8일
저 자 | 김원민
펴낸이 | 한건희
펴낸곳 | 주식회사 부크크
출판사등록 | 2014.07.15.(제2014-16호)
주 소 | 서울특별시 금천구 가산디지털1로 119 SK트윈타워 A동 305호
전 화 | 1670-8316
이메일 | info@bookk.co.kr

ISBN | 979-11-410-6499-0

모든 영광 하나님 아버지께 돌립니다.

목차

2부

3부

4부

서문

산다는 것은 무엇이요, 죽는다는 것은 무엇인지 고민하고,
사랑이란 무엇이요, 이별이란 무엇인지 고뇌하다 보니,
이렇게 많은 시를 쓰게 되어,
마침내 한 권의 책을 출간하기에 이르렀습니다.

나는 어떨 땐 의젓한 소년의 마음으로,
또 어떨 땐 생각 깊은 소녀의 마음으로 시를 썼습니다.
가슴이 아플 때마다 썼습니다, 생각이 깊어질 때마다 썼습니다,
그리운 사람의 모습이 머릿속에 아른거릴 때마다 썼습니다.

독자 여러분, 부디 내가 우수에 젖어 쓴 이 시들을 찬찬히 훑으며
내가 이 시들을 썼을때 느꼈을 감정을 헤아려주시길 바랍니다.

독자 여러분, 만일 그대의 가슴이 사랑으로 인해 찢어질 것만 같거든,
이 책을 펼쳐 위로를 받길 바랍니다.

만일 그대의 머릿속이 삶과 죽음에 대한 상념으로 복잡하거든, 이 책
을 펼쳐 그 상념들을 정리하길 바랍니다.

독자 여러분, 나는 믿습니다.

세월이 흐르고 해가 지나고, 다른 것들이 모두 스러지고 사라져도,
이 한 권의 책, '별빛마을' 하나만큼은 그대의 가슴속에,
불안하고 금방이라도 스러질 듯 애처롭게 춤추는 바람 앞의 촛대와
달리 영원토록 빛나는 별 하나가 되어 남으리라는 것을요.

달이 밝고 별이 빛나는 것을 보니 어느새 밤이 깊었나 봅니다.
그대의 가슴에 이 詩들이 감명 깊게 와닿길 간절히 바라며,
조용히 펜을 내려놓습니다.

1부

키스

내가 너의 귀에 가볍게 속삭이면
너는 부끄러운듯 지긋이 눈을 감는다.

나는 보드라운 네 머릿결을 만지며
내 뜨거운 입술을 너의 입술에 살포시 갖다댄다.

그러자 뜨거운 김이 너와 나의 입안에 가득하며
은은한 향기가 공기 중에 퍼지며
내가 살아있음을 너를 통해 비로소 느낄 때

나는 지긋이 웃으며 너를 바라본다.
너도 한층 더 다정한 눈빛으로 나를 바라본다.

너는 무엇이 그리도 부끄러운가,
무엇이 그리도 수줍은가.
무엇 때문에 두 손을 다소곳이 모으고 나를 가만히 바라보는가.

너의 눈빛은 무엇 때문에 그리도 아름다운 것인가.
너의 눈빛에 취한 나는 기뻐하며

한 번 더 너에게 입을 맞춘다.

하나님께서 숨결을 불어넣어 우리를 만드셨듯이
나도 너에게 숨결을 불어넣음으로써
'사랑'이라는 마음을 만들어야지.

나는 항상 너에게 입맞추며,
변하지 않는 마음으로 너를 사랑해야지.

결혼

별빛이 네게 입 맞추고 달빛이 내게 입 맞추는 늦은 밤에,
내가 널 보았을 때,
나는 너와 결혼하고 싶다고 생각했다.
너를 내 아내로 맞고 싶다고 생각했다.

간혹가다 순록의 울음소리가 구슬프게 들려오는
아무도 없는 숲속에서
통나무로 만든 의자 몇 개를 놔두고,

네 부모님과,
내 부모님,
네 형제들과,
내 형제들을 불러
조촐한 결혼식을 올리고 싶다고 생각했다.

나는 너와 결혼하고 싶다고 생각했다.
너를 내 아내로 맞고 싶다고 생각했다.

너와 내가 다니는 교회의 목사님께

주례 말씀을 부탁드리고
목사님께서,
'사랑 안에 두려움이 없고 온전한 사랑이 두려움을 내쫓나니……'
하시는 말씀을 들으며,

거룩한 신부와 신랑이 되고 싶다고 생각했다.
나자렛의 요셉과 마리아가 되고 싶다고 생각했다.

숲 속 작은 짐승들이 흥겹게 노래하는 소리를 들으며,
그렇게 정다운 부부가 되고 싶다고 생각했다.

나는 너와 결혼하고 싶다고 생각했다.
너를 내 아내로 맞고 싶다고 생각했다.

그리고 모두의 웃음소리와 환호속에서
사랑이라는 이름의 장미꽃을 싹틔운 우리는
모두가 지켜보는 가운데 진심을 가득 담은
입 맞춤을 할 것이라고 생각했다.

그러다 네가 부케를 던지고,
그 부케를 아직 결혼하지 않은
내 누나가 받으면 좋겠다고 생각했다.

나는 너와 결혼하고 싶다고 생각했다.
너를 내 아내로 맞고 싶다고 생각했다.

가을 편지

늦은 가을,
낙엽이 떨어지는 모습을 본 나는
마음이 싱숭생숭하여 깊이 생각에 잠기다가
당신에게 드리는 편지를 써보았다.

'나는 아직도 당신을 잊지 못했습니다.
당신과 내가 함께 있을 때 나는 비로소 행복했습니다.
내 마음속에 자꾸만 드는 감정, 그것은…….'

나는 편지를 쓰다 말고 그만 펜을 내려놓았다.
내 마음속에 자꾸만 드는 감정이 무엇일까?

나는 골똘히 고민하다 펜을 다시 집었다.

사랑,이라고 썼다가 그다음은 쓰지 못했다.
그리움,이라고 썼다가 그다음은 쓰지 못했다.
슬픔,이라고 썼다가 그다음은 쓰지 못했다.

연민,이라고 썼다가 그다음은 쓰지 못했다.
미련,이라고 쓰고 나서야 그다음을 쓸 수 있었다.

'내 마음속에 자꾸만 드는 감정, 그것은 미련입니다'

창 밖에는 낙엽이 바람을 타고 이리저리 흩날렸다.
아아, 쓸쓸하기만 했다.
아아, 가을은, 내 마음은
쓸쓸하기만 하였다.

거울

거울에 어느 사나이의 모습이 아른거립니다.
그 사나이는 친구도 없이 혼자 고독하게 서 있습니다.

사나이의 얼굴은 초라하고 지쳐보이며
두 어깨는 푹 내려가 볼품없어보이고
높이 솟은 콧대는 쓸쓸해보이기까지 합니다.

나는 어쩐지 그 사나이가 미워져 거울을 등지고 돌아섭니다.
돌아가다 생각하니 그 사나이가 그리워집니다.
그 사나이가 불쌍해집니다.
그 사나이를 사랑하고 싶어집니다.

나는 무슨 감정에선지 그 사나이를 다시 보기 위해
거울을 들여다봅니다.
그 사나이는 전에 보았던 사나이와는 딴판입니다.

사나이의 얼굴은 갸름하고, 하얗고
활짝 편 가슴은 듬직해보이기까지 하고
붉은 입술은 한껏 농익은 과일처럼 탐스러워 보이기까지 합니다.
나는 어쩐지 그 사나이가 사랑스러워져 계속 바라봅니다.

널 사랑하겠어

우리 서로 좋아하는 사이였잖아
서로 얼굴을 붉히며 좋아하는 사이였잖아
부끄러워 마음을 전하지 못했을 뿐,
너는 날 사랑했고, 나도 널 사랑했어.

널 사랑하겠어.
다른 누구도 아닌, 너만을 사랑하겠어.
부끄러운 마음 없이 널 사랑하겠어.

우린 서로 눈을 마주쳤을 때 비로소 웃을 수 있었잖아.
어색하고 낯간지러웠지만 그 순간이 좋았잖아.
네 눈을 계속 바라볼 순 없었지만,
난 아직도 그곳에서 한번 마주친 네 눈빛을 잊지 못해.

널 사랑하겠어.
다른 누구도 아닌, 너만을 사랑하겠어.
부끄러운 마음 없이 널 사랑하겠어.

내가 너에게 말한 진심을

마치 재치있는 농담이라도 되는 것처럼
가볍게 웃어넘기지 말고,
진지하게 다시 생각해줘.

얼굴 붉히며 수줍어하지 말고,
단 한마디, 내게 말해줘.

날 사랑한다고, 날 사랑한다고,
다른 누구보다 날 사랑한다고…….

널 사랑하겠어.
다른 누구도 아닌, 너만을 사랑하겠어.
부끄러운 마음 없이 널 사랑하겠어.

널 사랑하고 말겠어.

바다와 그대 웃음소리

쏴아-철썩!
다시,
쏴아-철썩!

그대 웃음소리,
아무도 없는 바닷가에
고요히 철썩이는 파도가 되어
굽이굽이 흐르는 너울이 되어

나의 귓가에 파도치듯 아련하게 들리네.

웃는 그댈 따라
하늘 위에서 춤추는 갈매기를 따라
밤늦은 부둣가의 등대가 비추는 빛을 따라
그대 마음을 따라가고 싶어라.

모래 속에서 조용히 숨쉬는 조개를 따라
이리저리 널브러진 소라를 따라
짭조름한 바닷바람을 따라
그대의 웃음소리가 들리는 곳을 따라가고 싶어라.

쏴아-철썩!
다시,
쏴아-철썩!

그대 웃음소리,
새벽 바다의 물결이 되어
잠잠한 바닷가를 가르는 낚싯배 되어

나의 귓가에 고요히 들리네.

쏴아-철썩!
다시,
쏴아-철썩!

부끄러워 차마 적지 못한 시

두루미같이 하얗고 하얀 종이 위에
부끄러워 쓰다 만 시가 가득 적혀있습니다.
나는 당신과의 사랑 이야기를 시에 녹여내려 하였으나

더 적기엔 너무 부끄러워
더 이상 적지 못하였습니다.

그러나 당신이 이미 떠나간 지금,
무엇이 나를 부끄럽게 만들고,
무엇이 나를 망설이게 만들겠습니까?

나는 당신과의 달콤했던 추억을 회상하며
쓰지 못했던 시를 다시 이어서 씁니다.

십자가

아버지,
사람의 가슴속에는 무엇이 있나요?

사랑이 있나요?
배려가 있나요?
은혜가 있나요?

아님,

폭력이 있나요?
질투가 있나요?
분노가 있나요?

아버지,
나는 아버지의 사랑은 잘 알겠으나
사람들의 사랑은 전혀 모르겠습니다.

아버지,
아버지께서
당신의 하나뿐인 아들을 보내시어 우리의 죄를 씻어주었건만

어느새 우리는 그리스도의 희생은
까맣게 잊어버리고는

다시 질투하며
쉽게 분노하며
독사같은 욕설을 내뱉을 뿐입니다.

아버지,
그리스도께서 그러셨듯이,

나 또한 사람들의 죄를 씻어줄 수 있다면,
사람들이 서로 사랑하게 만들 수 있다면,
세상에 평화라는 선물을 줄 수 있다면,

단 한번뿐이라도 좋으니
예수님 흉내를 낼 수만 있다면,

나는 기꺼이 내 몫의 십자가를 짊어지고서
높기만 한 고난의 언덕을 오르며
십자가에 매달리겠습니다.

그러다 하늘에서 우레소리가 들리고
나의 몸에서 피가 흐르고
내 눈에서 눈물이 흐르고
아버지의 음성이 들릴 때

마침내 내 육신마저 온전히 소멸되어
나의 영혼이 아버지의 나라로 가게 될때

그제서야 나는 기쁜 마음으로 아버지를 그러안으며
말없이 눈물을 흘리겠습니다.

자유의 날

(광복절 기념 시)

원수들은
우리의 자유의 날개를 찢지 못했습니다.
우리의 태극기에 먹칠하지 못했습니다.

그들의 치욕스러운

욕설도
폭력도
박해도
약탈도
차별도

독립에 대한 우리의
의지와 굳은 결심과 다짐에는
생채기 하나 내지 못했습니다.

자유로운 이 옥토 위에서
자유로운 사람들과 맞는
이 자유는

얼마나 기쁜 것입니까.

동네 사람들아
내 백의를 찢고 그 위에 음양과 건곤감이를 그려
태극기를 만드십시오.

동네 사람들아
내 목소리를 가져가 만세를 외치십시오.
모두들 만세를 부릅시다.
모두들 자유를 목놓아 부릅시다.

순결한 마음으로 간절토록 바래왔던
이 땅에서의 자유와 평화와 번영이
마침내 이루어졌습니다.

아름다운 강산이 울리고
한강물이 굽이굽이 흐르고
까치들이 높이높이 날고
무궁화가 흐드러지게 피어났습니다.

마침내 자유를 맞은 우리는
빛이 될 것입니다.

우리는
땅을 떨치고 날개를 펼치고 깨치고 일어나

마침내
오랫동안 간절히 염원해왔던 창공 위로
멀리멀리 날아갈 것입니다.

별 하나 되어

당신이
그립습니다.

나는 당신이 계실적에
당신이 얼마나 소중한 사람이었는지
미처 깨닫지 못하였습니다.

당신이 얼마나 아름다웠는지는

꽃들이 말해주고
구름이 말해주고
별들이 말해주겠지요.

당신과 함께 있을 때

내 마음이 얼마나 따사로웠는지를
그때의 나는 느끼지 못하였습니다.

그렇기에
더욱 미련이 남고

더욱 당신이 그립습니다.

그런 당신을 위하여

내 가슴속에
작은 꽃처럼 피어나는 미련들을 한데 모아
당신께 드리는 사랑의 시를 써보아도 모자란 당신

별 하나가 되어
어둠속을 떠다니다가
마침내 당신 품에 안겨야지.

고요히, 아무도, 아무도 모르게
당신을 살며시 감싸안아야지.

그리고
당신에게 날아가야지.

그리고
다시, 당신과 함께 미련 없는 사랑을 피워야지.

외사랑

오늘도 별을 센다, 밤을 샌다……
가슴속에 외롭고 쓸쓸한 사랑의 감정을 품고,
오늘도 혼자서 별을 센다, 밤을 샌다……

어차피 지나가는 인연이었다며,
그저 그런거였다며,

애써 스스로를 위로하며
슬픔과 애수가 깊게 서린 기억들을 지우며

눈물을 삼키고는
눈물로 젖어버린 베개를 베고

그렇게
깊은 잠에 든다.

다시는,
다시는,
그 사람을 사랑하지 말자면서도,

오늘도 홀로 사랑한다, 홀로 사랑한다……
가슴속에 고독과 슬픔뿐인 감정을 품고,
오늘도 홀로 사랑한다, 홀로 사랑한다……

너무 아픈 사랑은 사랑이 아니었음을

아프게, 아프게 한다는 것을 알면서도
조금씩, 조금씩 나를 갉아먹는다는 것을 알면서도
나는 그대를 아프도록 사랑했다.

그대 때문에 가슴을 앓던 어느날,
나는 막연히 깨달았다.
날 아프게만 하는 사랑은 사랑이 아니었음을……

사랑하기 전에도, 사랑한 후에도
나를 아프게 했던 사랑은,
사랑이 아니었음을……

그대여, 부디 멀리, 아주 멀리 떠나세요.

텅 빈 가슴을 메울 시간을 주세요.
눈물 흘리고 슬퍼할 시간을 주세요.
결국, 사랑이 아니었군요.

간절히 사랑했건만, 그것은 사랑이 아니었습니다.
나는 가슴 절절히 깨달았습니다.

너무 아픈 사랑은 사랑이 아니었음을……
너무 아픈 사랑은 사랑이 아니었음을……
너무 아픈 사랑은 사랑이 아니었음을……

귀뚜라미의 울음

귀뚜라미는 어째서
달이 기웃기웃 저무는 새벽녘에

그리도 귀뚤, 귀뚤,
서글피 우는 것일까?

남 모르는 슬픔이 있는 것일까?

아님,
설혹 남모르는 연정이 있는 것일까?

무슨 이유에서든지,
그 울음소리가 서럽다는 사실은
변하질 않는구나.

이별

내가 그대와 맞잡은 손을 채 놓기도 전에
그대는 이미 나를 떠나버렸습니다.

아아 내가 사랑했던 사람아,
나는 그대에게 작별인사조차 바라지 않았습니다.

아아 내가 좋아했던 사람아,
보드라운 감촉을 가진 그대 붉은 입술이 내 혀끝에 살포시 닿으면
나는 온 혈관을 관통하는 짜릿함에 감탄하였습니다.

순결한 양같이 하얀 그대의 손끝이 나의 손끝에 닿으면
아아 그대를 향한 나의 동경심과 신비로움은 절정에 다다랐습니다.

그런데, 내가 사랑했던 사람아
아니, 아직도 사랑하는 사람아

어째서 이런 감작스러운 이별로
나의 목을 조르고
내 가슴을 가르고
내게 미련을 남기십니까.

아! 그대가 웃을때 나는 비로소 웃을 수 있었고
그대가 울 때 나는 비로소 울 수 있었습니다.

그대는 나의 광명인 동시에 어둠이었지만,
이제 그대는 내게 있어서 어둠일 뿐입니다.

아, 그대여
그대와의 작별은 너무도 짧았고
이별은, 아아 이별은 너무나도 길었습니다.

등대

나이 지긋한 어부들의 길라잡이가 되어주고
결코 스러지지 않는 별 하나가 되어주고
그곳이 곧 바닷가임을 증명해주는 등대는

오늘도 은하수 같이 화사한 빛을 내뿜는다.
그 빛에는 얼마나 아득한 세월이 담겨있을까.

길고 길던 밤이 지나가고
새벽이 찾아올 무렵

달빛이 등대의 난간에 닿아 부서지고
별빛이 일출하는 태양 사이로 스러져 갈때도
등대만은 자기의 촛대 같은 그 빛을 잃지 않고 간직한다.

촛대는 시간이 지나면 다 녹아 없어져버리지만
등대는 긴세월 동안 무수한 풍파를 맞아도 녹아 없어지지 않는다.

그 등대를 지키는,
검은 눈을 가진 등대지기는,
사색에 잠겨 그 높은 등대 위에서

아찔하리만치 아름다운 바다의 절경을 자라본다.

등대지기가 사색에 잠겨 있는 사이
배는 입항하고
갈매기는 끼룩끼룩 신난 듯 울어대고
그물 가득 멸치를 낚은 어부는 기분 좋은 듯 휘파람으로
옛날 가요들을 불러대건만,

아아, 변치 않는 빛을 가진 등대여!

정상 위에 우뚝 서서
바다새들과 어선들을 서글픈 눈빛으로 바라보는
애달픈 눈동자의 등대지기여!

물고기들도 기분 좋은 듯 수영하며
팔딱 팔딱 뛰고,

파도도 철썩, 다시 철썩,
방파제를 때리건만

등대야, 등대야,

너만큼은 우직히 서서 네 맡은 바를 다하는구나!

2부

아쉬움

네가 떠나던 날—
새들은 몹시 깊은 슬픔에 잠긴 듯
더 이상 즐겁게 지저귀지 않고

꽃들은 이별을 안타깝게 여기는 듯
말 없이 고개를 숙였다.

너에게 나의 온 마음을 쏟지 못했다는 것이 부끄러워
네 마음을 제대로 보살피지 못했다는 것이 쑥스러워
네 두 눈을 마주칠 수 없었지만

네 심정도 모르고 막말을 뱉어낸 것이 안타깝고
너에게 사랑한다는 말 한마디 하지 않았던 것이 생각나
떠나는 너에게 말 한마디 할 수 없었지만

아아,
그래도, 그럼에도,
단 한번만이라도 떠나는 너의 뒷모습을
먼 발치에서라도 바라볼 수 있었더라면
이렇게 애타지 않았을텐데……

새벽의 고요

새벽 바람은 늘 차갑기만 하지만,
이 가을에는 특히 바람이 쌀쌀해진다.

아아, 이 밤은 쓸쓸하기만하다.
아아, 이 밤은 쌀쌀맞기만하다.

나는 당신에게 따듯함을 주었으나
이제 당신이 내게 주는 것은 차가움과 고독 뿐.

서럽기만 하다, 당신이 떠나다니……
시립기만 하다, 쓸쓸한 이 가을의 새벽은……

그 새벽에 방의 창문을 열어
바람을 맞으며 조용히 생각에 잠길 때

나를 부르는 것이 누군가
내 귀에 스치듯이 들리는 소리가 무엇인가

바람에 굴러다니는 낙엽이 내는 소리인가?
귀뚜라미가 남몰래 흐느끼는 소리인가?

아아, 이 늦은 가을, 새벽 바람에 묻어오는,
그 숨 멎듯이 고요하게 들리는 소리는

슬픔의 적막이어라.

인연

내 님께서 떠난 가을 하늘은
높기만 하고 공허하기만 합니다.

아아 가을 하늘을 따라 내 가슴도 텅 빈 듯
차갑고 시립습니다.

아아, 님께선 어찌하여
내가 스쳐가는 인연이었던 것처럼 날 떠나셨나요.

님 떠나시는 길엔
낙엽이 바스락 거리는 소리만을 내며 굴러다닙니다.

아아 나는 님과 함께 기쁨 충만한 마음으로 불렀던 사랑 노래 대신에
슬픔과 고독의 마음으로 이별 노래를 부르고 있습니다.

아아 내 님아, 사람은 살면서 여러 인연을 만난다고 하지요.
개 중에는 스쳐가는 인연도, 평생의 인연도 있겠지요.
그러나 님께선 나의 평생의 인연이었습니다.

아아 나의 인연이요 운명이요 내 한평생의 사랑이었던

나의 님을,
나는 잊지 못해요, 잃지 못해요……
잊지 못해요…… 잃지 못해요……

비록

비록
당신이

내 가슴도 찢어버리고
진실된 사랑으로 피워낸 내 작은 꽃도 꺾어버리고
내 진심을 재미난 농담 쯤으로 치부해버렸어도

내가 그토록 사랑했던 당신을
잊어버린다는 것은 있을 수 없는 일인지라

나는 당신이 나를 어떻게 생각하던지 간에
당신을 이 세상에 홀로 우뚝 선 마음으로 사랑하렵니다.

조용한 이별

어째서 떠나는지 묻지 말고,
어디로 가는지 묻지 말며,
언제쯤 돌아올지 묻지 마시오.

울지 말고,
한숨 쉬지도 말며,
탄식하지도 마오.

나를 부르지 말고,
목놓아 외치지도 말며
가슴 아파하며 신음하지도 마오.

어차피 그대의 마음속에는
후회와 괴로움으로 뭉친 감정만이 남을텐데······

내가 어째서 떠나는지 묻지 마오······
한숨 쉬며 울지 마오······
나를 부르지 마오······

소년의 기도

교회의 긴 나무 의자에 앉아 조용히 성경을 읽다가,
사랑,이라는 단어를 보고
문득 내가 사랑해주지 못한 그 아이가 떠올라
나는 깊은 슬픔에 빠지고야 말았습니다.

그 아이를 잊지 못해, 그 아이가 계속 떠올라,
마음이 무척이나 무겁고 괴롭습니다.

주께 기도 드리면 이 걱정이 사라질까요.
주께 기도 드리면 이 슬픔이 사라질까요.

그리스도께서는 어느 기도 하나도 하찮게 여기지 않으시고
어느 기도 하나도 이루어주시지 않으시는게 없으시다는데

주께 기도 드려볼까요.

하나님께서는
누가 어떤 걱정을 하는지전부 다 알고 계시고
어째서 그런 걱정을 하는지도 전부 다 알고 계신다는데
하나님께 기도 드려볼까요.

만일 기도 드린다면,
그 아이를 다시 만나게 해달라고 기도 해야할까요,
아님 그 아이가 나를 잊게 해달라고 기도 해야할까요.

주일 저녁,
교회 첨탑의 십자가는 석양을 받아 아름답게 빛나고
나의 고민은 깊어갑니다.

당신과의 이별

쓸쓸해졌소.
다른 사람들은 나를 찾지 않아도,
당신만은 나를 찾아야 하는데……
다른 사람들은 나를 사랑하지 않아도
당신만은 나를 사랑해야 하는데……

이제 알겠소.
당신께서 나를 더 이상은
사랑하지 않으신다는 것을……
어느덧 당신이 나 없이도
살아갈 수 있는 사람이 되었다는 것을……

나는 울고 말았소.
그 뜨겁던 여름날 당신과 함께했던 순간이 생각나서……
어둠으로 가득찬 거리에서 내게 다가온 당신이
먼저 입술을 내밀며 내게 입 맞추던 순간이 생각나서……

나는 이제 알겠소.
사랑이야말로 실로 덧없는 감정이라는 것을……

사랑이야말로 쓸쓸하고 고독한 감정이라는 것을……

잘 가시오.
내가 사랑했던 사람아,
내 가슴속에서 차마 지울 수 없는 사람아,
한 번도 잊은적 없는 사람아……

내가 그대와 사랑에 빠졌던 그날처럼,
달빛은 말없이 빛나고 있소……
별빛은 조용히 빛나고 있소……

기쁨

밤은 얼마나 깊었습니까.
모두가 잠들어 조용하기만 한 밤하늘은
점점 어둠으로 짙어갑니다.

이별이란 본디 슬프고 슬픈 것이라
슬픈 표정으로 헤어지는 것이 당연한 것입니다만
아아 그날의 당신의 쓸쓸했던 표정이 잊혀지지 않아요.
그 표정이 그대의 진심이었나요.

나는 당신의 얼굴과 당신의 마음 씀씀이를 차마 잊어버리지 못하고
계속 가슴속에 간직해두며 괴로워하고 있습니다.

그것이 내가
당신이 나 읽으라고 주셨던 당신의 시집(詩集)을,
당신이 내가 달라고 조르고 조른 후에야 주셨던 당신의 목도리를,
당신이 자기를 기억해달라며 주셨던 당신의 빛바랜 사진을
고이 간직하고 있는 까닭입니다.

당신이 내게 주셨던 그 물건들을 볼때마다
나는 괜히 가슴이 저려와, 아려와
도무지 견딜 수가 없습니다.

당신이 내게 베풀었던 친절을 기억할때마다
나는 괜히 가슴이 아파와, 시려와
힘들어 견딜 수가 없습니다.

이런 슬픔 속에서도 나에게 유일한 기쁨이 있다면,
그것은 내 가슴속에 당신을 그리며 실컷 우는 것입니다.

숨

너의 숨결,
나의 숨결.

다정하게 서로의 마음을 어루만질 때면
애틋하게 서로의 뺨을 부빌 때면
가슴 설레게 서로의 코 끝에 코스모스 꽃을 갖다댈때면

언제나 한 없이 부드러워지는,

너의 숨결,
나의 숨결.

사랑이란 헤아릴 수 없는 것

내가 당신을 얼마나 사랑하는지 묻지마서요.
'얼마나' 사랑하느냐고 묻는 것은 실로 잘못된 물음입니다.

사랑이란 이루 헤아릴 수 없는 것 아닌가요.
애정이란 이루 헤아릴 수 없는 것 아닌가요.

그러니

만일 당신이 나에게 당신을 얼마나 사랑하느냐고 묻는다면
나는 당신을 '무수히' 사랑하노라 말하겠습니다.

뒷모습

단발머리에
검붉은 노을빛 니트.
푸른빛 청바지.
아기처럼 귀엽게 종종거리는 걸음걸이.

나는 멀리서 뒷모습만 보았지만
종종거리며 조심히 걷는 그 여자가
당신인 줄을 한 눈에 알아봤습니다.

그러나
나는 그 사람이 당신인 줄 알면서도

당신이 나에게 무슨 해코지나 할까 두려워
왜 자기를 떠났느냐 물을까 두려워

감히 당신을 아는 체 할 수 없었습니다.
감히 당신의 이름을 부를 수 없었습니다.

아아, 당신은 내게 뒷모습만 남기시는군요.

싫어요

싫어요, 싫어요,
당신이 싫어요.

별도 달도 따주겠다는
당신의 그 터무니없는 아양이 싫어요.

당신 때문에 가슴을 앓으며
밤낮을 지새우는 일도 이젠 싫어요.

싫어요, 싫어요,
당신이 싫어요.

내가 당신에게 화를 내건 짜증을 내건
아무말 않고 나를 포근히 안아주는
당신의 그 따사로운 품이 싫어요.

수염을 짧게 깎아 푸르스름한 입을 내밀며
자기의 입술에 내 입술을 맞춰달라고 수줍게 말하는

당신의 말도 이젠 싫어요.

싫어요, 싫어요
당신이 싫어요.

다른 여자들이 아무리 아름다워도
나만을 사랑하겠다는 당신의 그 당돌한 고백이 싫어요.

둘이 영원한 부부가 되어
노부부가 될 때까지 평생토록 사랑을 나누자는
당신의 그 기약없는 약속도 싫어요.

유일한 행운

당신이 떠난 뒤에
너무도 쓸쓸해 미칠 것 같아요.
너무도 고독해 슬플 지경이에요.
너무도 적막해 눈물 흘리고 있어요.
너무도 막막해 머리를 부여잡고 있어요.

그러나 그 모든 불행 중에서도 유일한 행운이랄 것이 있다면,
그것은 내가 느끼는 쓸쓸함, 고독, 막막함 같은 불행한 감정들이
내가 가끔씩 짓곤 하는 시(詩)의 영감이 되곤 한다는 것입니다.

마셔요

마셔요, 제발 마셔요.
나를 떠나지 마시고 내 곁에 있어주셔요.

마셔요, 제발 마셔요.
나를 원망하지 마시고 나를 그때 그 순간처럼 그대로 사랑해주셔요.

마셔요, 제발 마셔요.
묵직한 칼날의 서늘함이 그대로 서린 듯한
그런 눈빛으로 나를 보지마셔요.

마셔요, 제발 마셔요.
사랑이라는 이름의 달콤한 포도로 만들어낸 나의 포도주를
단숨에 마셔주세요.

커피와 당신의 공통점

커피는 뜨거운 김이 채 가시기도 전에 처음 마시면
그 맛은 처음에는 쓸쓸하다가도
종내에는 은은한 달달함이 입안에 가득 퍼져요.

당신도 마찬가지여요.
내가 당신의 마음을 온전히 알기 전에
당신은 나를 쌀쌀맞게 대하다가도
남들의 시선이 없을 땐 나를 안아주었어요.

그때 내 가슴엔 은은한 향긋함과 설렘이 가득 퍼졌어요.

커피에 설탕을 넣으면
맛은 달콤할지언정 커피 원두의 풍미를 느낄 순 없어요.

당신도 마찬가지여요.
내가 당신의 마음을 다 헤아리기 전에
나는 당신을 온전히 사랑하지도 않으면서도
당신에 귀에 사랑한다, 사랑한다고 거짓말을 속삭였어요.

그때의 나는 당신의 진실된 마음과 사랑을 느끼지 못했어요.

3부

별들이 그린 그림

밤은 참으로 고요하고 아름답습니다.
나는 괜히 당신 생각이 나 창가로 가 조용히 밤하늘을 바라봅니다.
별들이 저마다 빛을 내며 나를 내려다봅니다.

작고 작은 별들이 하나 하나, 저마다 모여들더니
조용한 밤하늘에 누군가의 얼굴을 그립니다.
아아, 그 얼굴은 당신의 얼굴입니다.

별들도 나의 슬픔을 아나봅니다.
내 가슴 시린 사연을 아나봅니다.
희뿌연 별들은 밤하늘을 도화지 삼아
자기들의 빛으로 당신의 얼굴을 그립니다.

나는 별들이 그린 당신의 얼굴을 보며 소리 죽여 흐느낍니다.
흐느끼면서도 당신이 내 곁으로 와
내 어깨를 두들겨주었으면 좋겠다고 생각합니다.

작고 작은 별들이 하나 하나, 각자 모여들더니
조용한 밤하늘에 누군가의 얼굴을 그립니다.
아아, 그 얼굴은 흐느끼는 나의 얼굴입니다.

연인과 인연

사랑하면 다 연인이냐.
사랑하면 다 인연이냐.

연인이 무엇이며
인연은 또 무엇이냐.

사랑한다고 서로의 귀에 속삭이기만 하면,
하나님 앞에서 언약하듯 서로의 손을 잡고 사랑한다고 말하기만 하면

다 연인이 되는 것이냐.
다 인연이 되는 것이냐.

늦은 밤에 한번이라도
사랑하는 사람의 얼굴을 그리며 애태운 적이 있으면,
사랑하는 사람의 음성을 생각하며 눈물 흘린 적이 있으면,

다 연인이 되는 것이냐.
다 인연이 되는 것이냐.

사랑하면 다 인연이냐.

연인이 무엇이며
인연은 또 무엇이냐.

연인이란, 인연이란,
얼마나 실없는 것이냐?

당신 때문에 밤잠을 설쳐요

당신 때문에 밤잠을 설쳐요.
고개를 살짝 뒤로 젖히며 귀엽게 눈웃음 짓던 당신 때문에,
내가 진정 가슴속으로 마음속으로 사모하는 당신 때문에,

이 밤도 잠 못 이루고 밤잠을 설쳐요.

당신 때문에 밤잠을 설쳐요.
당신 내 품으로 다시 돌아오는 날,
당신에게 어떤 말을 해야할지 고민되서

당신 내게로 다시금 돌아오는 날,
어떤 눈빛으로 그댈 바라보아야할지 몰라서

이 밤도 잠 못 이루고 밤잠을 설쳐요.

당신 때문에 밤잠을 설쳐요

매케한 매연 속에서 활짝 핀 꽃같은,
희망찬 당신이라는 사람 때문에.
나라는 사람조차 사랑해주는 꽃다운,

아니
꽃보다 더 아름다운 당신 때문에.

얼마나

대제사장들이 그를 모함하고 십자가에 못 박으라고 고함치고
군병들이 그에게 침을 뱉으며 희롱하고
군중들이 그를 비난하고 모욕하고
총독이 그에게 유죄를 선고할 때

얼마나 치욕스러우셨을까.

그에게 죄라고는
아직 죄인이었던 우리를 사랑하신 죄밖에 없는데
원수마저도 사랑하신 죄밖에는 없는데
은혜를 베푸시고 자비를 베푸신 죄밖에는 없는데

얼마나 억울하셨을까.

무겁고 무겁기만한 십자가를
홀로 짊어매고 가는 것도 모자라
쉴 세 없이 채찍질 당하시며 희롱당하시며

가시면류관을 쓰신 머리에는 피가 끝없이 흐르며
높고도 높은 언덕을 올라가실 때

얼마나 힘드셨을까.

한 없이 보드라운 그의 손과 발을 못들이 꿰뚫고
그의 몸에서 피가 강물같이 흐르고
그의 어깨가 축 늘어지고 나서
마침내 다 이루었다고 말씀하실 때

얼마나 고통스러우셨을까.

그러나 한편으로는
그 모진 고통과 고난을 당하시면서도
자기의 그 귀한 피로써

모든 사람들의 죄를 씻어주셨다는 사실 때문에
그 앞에 있는 기쁨을 위해 십자가를 참으셨다는 사실 때문에
부끄러움을 개의치 않으셨다는 사실 때문에

마침내 인류의 메시아가 되셨다는 사실 때문에
마침내 하나님 우편에 앉으셨다는 사실 때문에

얼마나 기쁘셨을까.

네가 생각나

바람이 세차게 불어오는
이런 추운 겨울날에는 괜히 네가 생각나.
그 겨울날 네가 날 떠나던 순간이 생각나.

네가 네 품으로부터 나를 밀어내던 순간이 생각나.

그때 나는 무슨 마음이었기에
너에게 내 마음을 주고
내 사랑을 주고
내가 가진 모든 것을 주었던 걸까.

그때 나는 무슨 마음이었기에
널 사랑하고
널 마음속에 그리고
널 진정으로 사모했던 걸까.

네가 없어 허전한
이런 추운 겨울날에는
괜히 네가 생각나.

당신은 모르시겠죠

당신은 모르시겠죠
내가 당신을 얼마나 사모했는지

당신은 아마 꿈에도 모르실거에요.
당신을 진정으로 사랑하는 사람이 있었다는 것을.

당신은 아마 내가 귀에 대고 말해줘도 모르실거에요.
내가 당신 때문에 울고, 당신 때문에 벌써 여러 밤을 지샜다는 것을,
심지어 지금도 당신을 생각하며 밤을 지새고 있다는 것을.

그날에

그날에,
나 하늘로 돌아가리라.
흙으로 돌아가리라.

나는 하늘에서 만들어진 하나님의 자녀이니
나는 하늘로 돌아가리라.

하나님께서 나를 흙으로 빚어내셨으니
나는 흙으로 돌아가리라.

그날에,
나는 두려워하지 않으리라.
오히려 기뻐하리라.

그 동경하던 하늘 위로 올라가 그리운 사람을 만나고
가슴에 사무치도록 보고 싶어했던 사람들을 만나고
차마 가슴속에서 지워내지 못했던 사람들을 만날 수 있다는 사실에
나 기뻐하리라.

그날에,

나는 조금도 울지 않으리라.
오히려 웃으리라.

내가 이 세상에 온 것은
좋은 인연을 맺고 선한 일들을 행하기 위함이었으니
그날에 모든 것을 이룬 나는 웃으며 남은 사람들에게 작별을 고하고
그들에게 나중에 꼭 다시 만나자는 인사를 하며

그날에,
나 하늘로 올라가리라,
흙으로 돌아가리라.

광야에서

네가 광야에 있다고 해서
절망하지 말며
탄식하지 말며
이제 모든 것이 끝이라고 단정짓지 말라.

울며 씨를 뿌리는 자는
반드시 기쁨으로 그 곡식 단을 거두리니

네가 오랫동안 영겁의 세월을 인내하며 씨를 뿌릴 때
마침내 세찬 강물이 흐르듯 남방 시내들이 넘쳐나리라.

언젠가 기쁨으로 곡식 단을 거두게 될 날을 기다리며
믿음과 소망을 가지고 하루하루를 살 때
너는 마침내 광야를 지나서 약속의 땅에 도착하게 되리라.

그 분께서는 이미 네게 놀라운 믿음을 주셨느니라.

오랜 세월이 흘러도,
몽매한 자들이 너를 조롱해도,
네가 믿는 믿음의 근거는 그의 약속이니라.

그러므로
네가 광야에 있다고 해서

자책하지 말며
원망하지 말며
이제는 더 이상 희망이 없다고 생각하지 마라.

울며 씨를 뿌리는 자는
반드시 기쁨으로 그 곡식 단을 거두리라.

전해주지 못한 편지

어차피 전해주지도 못할 편지를
밤을 새워 정성 들여 쓰고는 봉투에 넣고
키스로 봉합니다.

그대의 집 앞에서 그댈 부르니
그댄 의아한 표정으로 무슨 일이냐며 묻습니다.

나는 그대로 머릿속이 백지가 되어
그저 보고 싶어 불렀다며 그대를 돌려보낸 뒤,

전해주지 못한 편지를 외투 안주머니에 넣고는
거리나 서성이며 괜히 돌멩이나 발로 찹니다.

어느 노인

거리의 가로등 불을 받으며 우두커니 한 노인이 서 있소.
게 누구요?

울 할아버님이시려나.
생각해 보면 할아버님께선 참으로 외로우셨소.

할머님을 먼저 보내셨고,
자식들과 손주들은 먼 곳에서 떨어져 살았고,
홀로 쓸쓸히, 쓸쓸히……

나는 할아버님의 모습을 생각하오.

육이오 참전 훈장을 내게 자랑스럽게 보여주시던 모습,

안락의자 위에 단정히 앉으시고는
사진만큼이나 정교한 초상화를 그리시던 모습들을.

나는 다만 그 노인이 울 할아버님이 아니시길 바라며
할아버님의 쓸쓸했던 삶을 돌이켜봅니다.

밤의 연가

그리운 사람이 고요한 달빛을 타고
부드러운 저 하늘 위로 올라가
별빛과 함께 노래한다.

나는 날개 달린 그이의 모습을 보며
고요한 달빛 대신
어스름한 저녁의 미풍을 타고

부드러운 하늘 대신
단단한 토지 위에 앉아

별빛 대신
귀뚜라미와 함께 귀뚤귀뚤, 노래한다.

별빛이 스러져 갈 때

밤하늘 위의 별들이
촛불 같이 아롱거리는 내 두 눈에 어리어
은은한 감정을 자아냅디다.

별빛이 스러져갑디다.
별빛은 내 눈물을 비추고
좁고 답답한 나의 방을 비추고
고요한 거리를 환하게 비춥니다..

별빛이 스러져 갈 때,
나는 조용히 우수에 젖어
눈물로 젖은 공책 위에
감성 젖은 시를 한 줄 적습니다.

봄비

봄비가 내린다.

투둑투둑 떨어진다.
아아, 봄비는 욕심쟁이려나봐

벚꽃도 가져가고,
목련도 가져가고,
진달래도 가져가더니,

끝내는 내 마음까지 가져가버리네.

아아, 봄비는 욕심쟁이인가봐.

신기루

뇌 속까지 시원하게 적시는

차가운 물웅덩이를 간직한
오아시스가 눈앞에 어른어른.

환상이겠거니, 환상이겠거니 해도
떨칠 수 없는 이 희망이라는 감정.

사라질 것이라는 걸 알지만
거짓이라는 것을 알지만
모르는 척 능청스럽게

희망을 걸어봅니다.

나 그댈 위해 눈물 흘림은

나 그댈 위해 눈물 흘림은

그대를 사랑하기 때문이 아니요.
그대를 생각하기 때문이 아니요.
그대를 그리워하기 때문이 아니요.
그대를 용서하기 때문이 아니요.

오직 그대를 미워하기 때문이라.

하나님의 소설

모든 사람들의 일생은 하나님께서 쓰신 소설이다.

모든 사람들이 겪었던 고초와 시련은
소설의 행복한 결말을 위한 디딤돌이었을 뿐이다.

하나님께서는 결코
비참하고 암담한 결말의 소설은 쓰지 아니하신다.

그러니
사랑하는 이가 더 이상 곁에 없다고 눈물 흘리지 마라.
고초를 겪는다 해서 절망하지 마라.

소설의 마지막에는,
삶의 끝자락에는,

행복한 결말만이 있을지어니.

4부

베르테르의 슬픔에 관하여

오오,
로테! 로테!
사랑은 행복인 동시에 불행인 것,

나는 가련한 베르테르
당신은 고결한 샤를로테.

나는 당신을 사랑합니다.
당신도 나에게 나쁜 감정을 품고 있지는 않지마는
좀처럼 내게 당신의 감정을 보여주지 않으십니다.

나는 나를 바라보는 당신의 눈빛을 보며
당신과 함께 보낼 시간들을 상상합니다.

그러나 당신은
별 감정 없이
애정의 감정 없이 나를 바라만 볼 뿐입니다.

나는 계속해서 이룰 수 없는 사랑의 꿈을 꾸겠습니다.

끝끝내 허무할 뿐인 이 짝사랑에

절망하겠습니다.
탄식하겠습니다.
계속 불행하겠습니다.

하지만
이런 나의 속내를 모르는 당신은
다만 계속 아름다우시겠지요.

나는 당신의 뒷모습을 바라보며
당신도 나를 좋아하리라고 생각하지만
당신은 내게 아무런 감정도 품고 있지 않습니다.

나는 그런 당신을 끌어안으려고 애쓰지마는
그럴수록 당신은 나를 더욱더 밀치고 밀어내
마침내 나를 삶의 벼랑끝으로 내몹니다.

오오,
로테! 로테!
사랑은 독약인 동시에 해독제인 것,

나는 불쌍한 베르테르,
당신은 고귀한 샤를로테

가지 마셔요

가지 마셔요, 가지 마셔요.
나의 님이시여, 가지 마셔요.
이렇게 부탁하니, 제발 가지 마셔요.

님은 지금 스스로 벼랑 끝으로 달려가고 계셔요.
님이시여, 제발 그 비극의 길로 가지 마시고
장난꾸러기 사내아이처럼 내게 달려와 안겨주세요.

님이시여, 왜 스스로를 괴롭히시나요.
왜 나를 괴롭히시나요.
그대가 떠난다는 것은 우리 둘을 괴롭히는 일이어요.

님은 지금 녹아내리는 촛농 같이
하릴없이 흐르는 눈물이 보이지 않으시나요.

님이시여, 제발 내 눈물을 외면하지 마시고
나를 위로하며 내 슬픔을 헤아려주셔요.

아아 님과 처음 만났던 순간이 자꾸만 떠오릅니다.
수줍어 님과 더 많이 이야기 못했던 순간들이 생각납니다.

하찮은 일들로 님과 다투었던 순간이 자꾸 나를 괴롭힙니다.

님과 새로운 추억을 남기고 싶어요.
님과 더 많은 시간을 쓰고 싶어요.
님과 새로운 출발을 하고 싶어요.

아아, 내 마음 모르는 님이여!

가지 마셔요, 가지 마셔요.
나의 님이시여, 가지 마셔요.

두 손 모아 이렇게 부탁할진데, 제발 가지 마셔요.

술

술은 눈물인가 한숨인가

술 한잔에 슬픔을,
다른 한잔에 후회를,
또 다른 한잔에는 공허함을!

빈 병이 하나 둘 점점 늘어가고
초점이 점점 흐려지며
가슴이 훈훈해지는 것이 느껴지면
그제서야 나는 내가 취했다는 것을 깨닫게 된다.

취한 나는 비틀 비틀, 갈지자 걸음으로 걸으며
흘러가는 세월처럼 이미 나를 떠나간 그대를 찾으려,
지느러미 없는 잉어처럼 허우적거린다

그러다 문득 그대가 떠났음을 깨달은 나는
취기를 빌려 슬픔을 달래고자 흥얼거리며
어릿광대의 애처로운 익살 같은 춤을 추며
애써 기분을 내려고 하겠지.

그러나 알코올이 주는 기쁨도 잠시,
새벽이 찾아오고 술이 깨고 나면
나는 마신 것을 게워내며 전과 같이 괴로워하리라.

나를 기쁘게 하는 것 같다가도 나를 배신하고, 다시 괴롭게 하고
아픈 상처를 아물게 하는 것 같다가도 상처를 더 크게 벌려
마침내 나에게 더더욱 큰 고통을 선사하는,
술이여, 알코올이여!

술은 눈물인가 한숨인가.

질투

당신에게 생겼을 새 애인의 모습을 생각하면
내 가슴의 온 피가 들끓습니다.

그가 조용히 눈을 감고는
당신의 입에 그의 입을 가볍게 맞추는 꼴을 상상하면
나는 가히 표현도 못할, 무시무시한 질투와 시기가
미묘하게 뒤섞인 감정을 그에게 느낍니다.

그가 당신의 손을 절대 놓지 않을만큼 꼭 잡고는
흐뭇해하는 표정을 짓는 꼴을 상상하면
나는 그에게 환멸과 혐오를 느낍니다.

그가 마침내 당신을 가졌다는 망상을 제멋대로 한다고 상상하면
나는 사랑으로 인해 아직도 뜨거운 내 가슴을
이별의 날카로운 칼날로 스스로 끊어내고 싶다는 생각을 합니다.

오오 그가 아무리 뛰어난 인물이라 할지라도
당신을 소유할만한 위인은 아니겠지요.

오오 그가 아무리 당신을 사랑한다 할지라도

내가 당신에게 쏟았던 애정과 정열에는 반도 못 미치겠지요.

오오 그는 당신의 그 큰 사랑을 다 담을만큼
큰 그릇을 가진 사내가 아니겠지요.

당신이 어찌 내게 그러실 수 있어요.
찰나의 순간이었지만, 잠시나마라도 사랑했던 사람에게
어찌 그러실 수 있나요
용서해주세요, 오오 사랑하는 당신.

지금 당신을 사랑하는 사내보다
훨씬 더 당신을 사랑하는 저를,
아아 저를 부디 용서해주세요.

당신에게 생겼을 새 애인의 모습을 생각하는 것은
너무도 비참하고 애달픈 일입니다.

위로

날 위로해주고 지켜주던 친구가 떠나면,
난 무얼 할까? 누구로부터 위로받을까?

달나라의 토끼한테나 위로받으려나.

호월(湖月)

호숫가에 달이 비치네.
손만 뻗으면 잡을 수 있을런가.

손을 뻗으니 만져지는 것은 차가운 호숫물.
달은 내 마음을 속이려나.

호숫가에 달이 비치네.
뛰어들면 닿을 수 있을런가.

물속으로 뛰어드니 품속에 느껴지는 것은 차가운 호숫물.
달은 내 마음을 속이려나.

거리에서

나는 거리에 홀로 서 있네.

걷던 걸음 멈추고,
별 하나 세고.

걷던 걸음을 멈추고,
별 하나 세고.

나 홀로 서 있는 거리는 고요하기도 하다.

상념

상념이 나를 끝없이 괴롭게 만든다는 것을 알면서도
나는 상념을 단념할 수 없습니다.

상념이란 시의 원천이기에.
상념이란 양날의 검이기에.

상념은 때론 나를 우울하게 만들고,
때론 나를 시인으로 만듭니다.

그댄 누구인가

내 가슴을 아프게 하는,
눈동자에 별빛이 어린 것처럼 빛나는 그대는 누구인가.

늘 내 가슴을 밀치곤 하지만
그래도 밉지만은 않은 그대는 누구인가.

돌아서려고 해도, 물러가려고 해도
계속 생각나 주변만 서성이게 하는 그대는 누구인가.

초승달이 내 감정을 대신하는 밤,
나는 비에 젖어 눅눅한 공책 위에
박유빈, 그대의 이름을 썼다가 부끄러워 다시 지운다.

그댄 별빛을 무척 좋아하나요

그댄 별빛을 무척 좋아하나요.
나는요 밤이 되면 상념 속에 잠겨요.

그리 오랜 시간이 흐른 것 같진 않건만
벌써 옛날이 되어버린 그때,

내 손을 잡아주며 별이든 달이든
원하는 건 모두 주겠다고 약속했던,

별빛을 무척 좋아한다고 내게 말했던,
그대는 아직도 별빛을 무척 좋아하나요?

우체통

주르륵, 주르륵
우체통 위에 여름비가 내린다.

우체통은 비 오는 중에도 입을 열고
희소식을 기다리는 듯하다.

오늘은 군대간 형의 편지가 올까,
아님 유학 간 누나의 편지가 올까?

나는 기대하며 등교하는 길에 멈칫멈칫 돌아보며

말없이 우체통만을 바라본다.

햇귀 사이로 떨어지는 여름비

햇귀 사이로 떨어져
낮부터 시작된 여름비는

점심이 지나고,
저녁이 지나고,
다음 날 새벽이 될 때까지 내린다.

끝날 기미가 안 보이는
그 뜨겁고도 거센 여름비는
넘너른하게 비를 흩뿌려

빨랫줄에 걸어놓은 누나의 연분홍빛 치마를 적시고
너슬너슬한 푸른 잡초를 적시고
잠시 숨 좀 돌릴까,
해서 밖으로 나온 지렁이의 등을 적신다.

서글픈 직업

어릴 적 내 꿈은 경찰이었습니다.

나는 경찰이 되고 싶어

늘 장난감 경찰차를 들고 다니고
늘 뒷짐을 지고 다니며 순찰하듯 산책하고,
색칠 놀이를 할 때도 늘 파란색만 썼습니다.

그런데 지금의 나는 서글프기만 할 뿐인
시인이라는 직업을 꿈꿉니다.

할머니와 검은 고양이

할머니께서 내 방 침대에 걸터앉아 계시고,
나는 침대에서 다리를 쭉 뻗고 누워있다.

할머니께서 날 보시더니 얼른 자라고 말씀하신다.
나는 자는 것이 싫어 잉잉거리며 잠 안 자고 버틴다.

할머니께서 내가 얼른 안 자면 검은 고양이가 미야옹,
미야옹 거리며 나타나서는 날 물고 갈 것이라 말씀하신다.

나는 검은 고양이가 무서워 이불을 머리맡까지 덮고는
햇살을 받으며 곤히 잠든다…….

여자

여자의 향기,
그 감미롭고도 매력적인,
나를 그에게로 한 발짝, 한 발짝씩 끌어당기곤 하는,
여자의 향기.

여자의 눈빛,
날카로우면서도 하루의 피로를 녹여버릴만큼 부드럽고,
부드러우면서도 내 가슴에 상처를 낼 것같이 날카롭게 느껴지는,
여자의 눈빛.

여자의 말,
별 뜻이 담겨있지 않을 것 같은 말에도
헤아릴 수 없이 많은 뜻이 담겨있어
귀 기울여 조심히 듣지 않으면 그 말에 담긴 뜻을 놓쳐버리게 되는,
여자의 말.

여자의 걸음걸이,
귀엽게, 가볍게 걸어다니며 자기에게 사랑을 줄 것을 요구하는,
사랑스럽게, 꼭 안아주고 싶게 사뿐사뿐 걸어다니며
자기를 사랑해주길 바라는,

여자의 걸음걸이.

가슴의 상처

그대의 손에 작은 칼을 쥐어줄테니,
부디 그 칼로 내 가슴에 작지만 깊은 상처를 내세요.

언제일지 모르지만, 그대와 내가 떨어지게 되어
아련했던 그대의 모습이, 그대와의 추억이
내 기억에서 금방이라도 스러지려고 할때면

나는 웃옷을 벗어던져 내 가슴에 아직도 남아있는 상처를 보며
가슴 아픈 상처만큼 쓰라렸던 그대와의 추억을 회상하리다.

그대의 손에 작은 칼을 쥐어줄테니,
부디 그 칼로 내 가슴에 넓고 깊은 상처를 내세요.

오늘일지 내일일지 모르지만, 그대와 내가 서로 헤어지게 되어
행복했던 그대와의 사랑이, 그대의 모습이
내 가슴에서 금방이라도 잊혀지려고 할때면

나는 웃옷을 벗어던져 내 가슴의 상처와 함께 남아있는 혈흔을 보며
내 붉은 피만큼이나 밝고 불그스레했던 그대의 얼굴을 회상하리라.

이별 노래

그런건가 너에게 있어서 난 그런 사람이었던 걸까.
그랬던걸까 너는 떠나버린 건가.

앙상한 가지들만 남은 나무가 가벼운 바람에도 나부끼고
거리의 뽀얀 가로등불이 나를 내려다보네.
조용한 밤길을 나 홀로 걷고 있네.

그런건가 너는 내게 이유도 알려주지 않고 떠나버렸네.
그랬던걸까 너의 눈물에 성에 같은 눈물이 서렸네.

밤하늘의 별들이 무대 위 조명처럼 나를 비추고
흐르는 달빛은 감미롭게 이별 노래를 부르고 있네.

 나도 너를 위해 이별 노래를 애처롭게 부르리.
'사랑하는 그대여 다시 내게 마음을 주세요'하고
처량하게, 간절하게 널 위해 이별 노래를 부르리.

그 노래는 내가 눈을 감을때까지 내 귓전에서 맴돌겠지.

묘 앞에서

왜 또 나의 묘비에 침을 뱉으십니까.
왜 또 가만히 영면하고 있던 날 깨우십니까.
나는 당신에게 아무런 해도 가하지 않았습디다.

왜 또 나를 미워하고 원망하십니까.
왜 소주를 들고 와서는 첨잔 한번 하지 않으십니까.
나는 그런 당신을 보고도 호통 한번 칠 수 없습니다.

나는 이미 눈 감은지 오래기에.
죽은 자는 말이 없지요.

그리운 사람

그리운 사람이여
내 순결한 마음으로 피워낸 작은 꽃을
그대의 묘비 위에 올리오니
부디 만족하고 미소 지으소서.

미소 짓던 모습이 참으로 곱던 그대여
내 눈물로 빚어낸 술을 잔에 따르고 첨잔할지니
부디 만족하시고 흠향하소서.

그리운 사람이여, 그리운 사랑이여.

오늘도 잠들기 전,
곁에 그대가 있는지 확인한 뒤 잠에 듭니다.

눈 내린 풍경

동트는 새벽녘에 내리기 시작한 눈은
어느새 소복이 쌓여 온 세상을 하얗게 뒤덮었다.

창밖의 나무들은 저마다 하얀색 옷을 입었구나.
하늘은 하얗게 변했구나.

벚꽃이 흐드러지게 피어났던 봄도 지나고,
매미들의 울음소리가 들리던 여름도 지나고,
낙엽이 땅바닥에 쓸쓸히 굴러다니던 가을도 지나,
마침내 겨울이 되어 한 해를 마무리하게 되었구나.

앞으로 몇 번의 겨울이 남았을까.
앞으로 몇 번이나 눈 내리는 광경을 볼 수 있을까.

하늘나라에서 천사들이 쉴 새 없이 설탕을 뿌리는구나.
하얀 눈은 계속 내려오는구나.

하얗게 변해버린 세상을 보며 나는 사색에 잠긴다.